HENRIETTE B...

Émilie et le crayon magique

Illustrations :
Vincent Penot

1

La cloche de quatre heures et demie vient de sonner. Mme Remuffat interrompt son récit.

« C'est terminé pour aujourd'hui, dit-elle, nous reprendrons demain. »

Un murmure de protestation s'élève dans la classe et une fille d'environ huit ans, aux longs cheveux tout bouclés, se dresse comme un ressort.

« S'il vous plaît, madame ! Finissez les aventures de messire Robert !

— Non, ce serait trop long, Émilie. J'ai dit demain. »

Émilie bougonne un peu en rangeant ses affaires. L'air boudeur, elle va se mettre en rang à

côté de Jojo Grataloup. S'arrêter au beau milieu d'un tournoi, tout de même !

La maîtresse la regarde, amusée.

« Puisque le sujet te passionne à ce point, Émilie, c'est toi qui nous raconteras la suite demain. D'accord ?

— Mais je ne sais pas qui va gagner !

— Tu n'auras qu'à inventer une fin à ta façon...

— D'accord ! »

Jojo Grataloup jette à Émilie un regard noir. Quelle cruche, cette Émilie ! Avec ça, elle va refuser à coup sûr de venir essayer sa nouvelle planche à roulettes. Sur le seuil de la porte, il demande d'un air détaché :

« Qu'est-ce que tu fais, maintenant ?

— Tu as entendu : j'ai une histoire à inventer. Je rentre chez moi. »

Sans plus s'occuper du garçon, Émilie prend ses jambes à son cou et disparaît au coin de la rue.

« Complètement dingue, cette fille ! » grommelle Jojo dépité.

Les mains dans les poches, il prend lentement le même chemin que la petite fille.

Émilie est déjà loin. Elle court sans se retourner, son cartable ballottant sur ses épaules, et commence à bâtir dans sa tête les aventures de messire Robert. Elle imagine des péripéties spectaculaires, des retournements de situation renversants, des coups de théâtre sublimes. Elle entend déjà Mme Remuffat lui dire, admirative :

« Mais où vas-tu chercher tout ça, Émilie ? Quelle imagination ! Je te mets vingt sur vingt ! »

Et la classe en délire lui fera une ovation...

Soudain, elle glisse sur quelque chose de rond et dur, et il s'en faut d'un rien qu'elle se retrouve dans le caniveau.

« Mince ! s'exclame-t-elle. Un crayon ! Il a bien failli me faire casser la figure ! »

Elle se baisse, ramasse le crayon, l'empoche et reprend sa course. C'est alors qu'une petite voix la fait sursauter :

« Dis donc ! Tu crois que c'est drôle, de se

retrouver au fond d'une poche toute collante et pleine de miettes ? »

Émilie se retourne, persuadée que Jojo Grataloup l'a vue ramasser le crayon et qu'il lui fait une farce. Mais il n'y a personne, la rue est déserte.

« J'ai la berlue », se dit-elle.

Elle s'apprête à repartir, quand la petite voix résonne à nouveau.

« Alors, tu me sors, oui ou non ? J'étouffe, là-dedans ! »

Émilie, perplexe et tout de même légèrement inquiète, se demande si elle a bien entendu...

« N'aie pas peur, c'est moi, le crayon, qui te parle. Je suis magique. »

La petite fille se décide à glisser une main timide au fond de sa poche, après s'être assurée que personne ne peut la voir. Elle sort le crayon de sa poche et le considère d'un air méfiant : il est rouge, avec une gomme au bout... Vraiment rien d'extraordinaire ! Il a même la mine cassée... Pourtant, Émilie doit se rendre à l'évidence : il parle !

« Je suis un crayon magique, répète le crayon avec orgueil.

— Parce que tu sais parler ? demande Émilie qui s'habitue peu à peu à l'idée qu'elle ne rêve pas.

— Oh ! pas seulement, répond le crayon d'un air important. Les dessins que je fais deviennent *vrais*.

— Comment ça, vrais ?

— Eh bien, si tu me prends pour dessiner un bonbon, par exemple, le bonbon sort du papier et tu peux le manger...

— Hein ?

— Oui, oui ! Tu as bien entendu. »

Émilie ouvre des yeux tout ronds.

« Pourquoi es-tu sur ce trottoir, alors ? Moi, si j'avais un crayon magique, je ne le laisserais pas traîner !

— Justement, l'idiot de comptable qui m'a acheté ne s'est pas rendu compte que j'étais magique. Il m'a balancé par la fenêtre de son bureau.

— Non ! Raconte-moi ! »

Toute à sa surprise, Émilie s'assied sur le rebord du trottoir pour écouter plus commodément le récit du crayon. C'est le moment que Jojo Grataloup choisit pour se montrer au coin de la rue. Émilie n'a que le temps de souffler au crayon :

« Quel enquiquineur, celui-là ! On file, tu me raconteras la suite à la maison ! »

Et, sous les yeux du garçon ébahi, elle se relève d'un bond et part à fond de train en direction de son immeuble.

2

Arrivée chez elle, Émilie prend tout juste le temps d'embrasser ses parents et file dans sa chambre.

« J'ai du travail ! » déclare-t-elle.

En réalité, la porte à peine refermée, la petite fille se jette à plat ventre sur son lit, le crayon devant elle, et demande d'un ton avide :

« Vas-y, raconte ! »

Alors le crayon explique à Émilie comment, quelques heures plus tôt, il s'est aperçu qu'il était magique...

« Un jour, commence-t-il, j'ai été acheté dans une papeterie par un jeune comptable qui voulait

11

écrire ses chiffres bien lisiblement. J'étais tout heureux de pouvoir m'occuper un peu. Aussi, les premiers temps, je me suis appliqué à faire des chiffres parfaits. J'alignais gaiement des 2, des 3, des 4, des ribambelles de zéros... Au début, c'était très amusant. Mais je n'ai pas tardé à trouver cette occupation plutôt monotone. J'aurais préféré dessiner ! D'après mes amis du magasin, c'était quelque chose d'extraordinaire. Ils m'avaient dit qu'on pouvait représenter des maisons, des oiseaux, des fleurs... et même des choses qui n'existent pas. Et voilà que j'étais condamné à tracer des chiffres du matin au soir... Il y a deux ou trois jours, j'ai eu un grand espoir : le comptable, plongé dans ses pensées, s'est mis à tracer avec moi des traits et des ronds qui avaient très bonne allure. « Ça y est ! me suis-je dit, ça y est ! Nous dessinons enfin ! » Mais le dessin, qui avait si bien commencé, s'est bientôt mis à ne plus ressembler à rien. C'étaient des gribouillis de plus en plus serrés et de plus en plus laids. J'avais une de ces peurs qu'il n'use toute ma mine ! Je commençais à me dire que je ne dessinerais jamais lorsque le miracle s'est produit. Le comptable était au téléphone. Soudain, il a dessiné une petite cerise bien ronde, à laquelle il a ajouté une queue et une feuille. C'était mon premier dessin ! J'étais ravi. Et quelle surprise, quand j'ai vu la cerise se gonfler, prendre du relief, sortir du papier et rouler sous la table !

Le comptable, qui regardait en l'air, ne s'est aperçu de rien. Mais pour moi, quelle découverte ! J'étais magique ! Je ne pouvais pas le savoir, forcément, puisque jusque-là personne ne s'était servi de moi pour dessiner ! À partir de ce moment-là, j'ai décidé de ne plus écrire ni gribouiller. Quand le comptable a voulu me faire faire des chiffres, j'ai cassé ma mine à plusieurs reprises. À la fin, exaspéré, il m'a jeté par sa fenêtre qui était ouverte. C'est ainsi que je me suis retrouvé sur le trottoir et que tu m'as marché dessus... Au fait : tu aimes dessiner, j'espère ?

— Et comment ! s'exclame Émilie qui a écouté le récit du crayon avec passion. Tu veux qu'on essaie tout de suite ?

— Bien sûr ! répond le crayon. Depuis le temps que j'en ai envie !

— Et... tu es *certain* que ce que je vais dessiner deviendra vrai ? demande encore Émilie, les sourcils froncés.

— Puisque je te le dis ! » riposte le crayon vexé.

La petite fille, rayonnante, court à son bureau, étale prestement devant elle une grande feuille de papier blanc, taille le crayon... et s'arrête.

« Qu'est-ce qu'on va faire ? demande-t-elle. Oh ! j'ai une idée. Je vais dessiner un énorme goûter ! Une brioche, par exemple, avec de la confiture.

D'accord », fait le crayon ravi.

Émilie dessine alors une brioche joufflue, surmontée d'un chapeau. Puis elle ajoute un pot de confiture d'abricots en prenant bien soin de dessiner les fruits à l'intérieur.

« Ça sera bien meilleur que de la marmelade ! » murmure-t-elle.

Elle ajoute une petite cuillère, pose le crayon sur son bureau et attend. Au bout de quelques secondes, la brioche commence à enfler, lentement. À côté, le pot et la cuillère sortent à leur

tour du papier. Ébahie, les yeux écarquillés, Émilie se trouve attablée devant un succulent goûter.

« Alors, tu es convaincue ? demande le crayon d'une voix triomphale.

— Oui, oui ! » crie Émilie en battant des mains. Et elle mord dans la brioche fondante.

« Mmm ! Ce que c'est bon ! Vite, dessinons autre chose !

— Pas si vite, réplique le crayon. Finis d'abord de goûter et va te laver les mains. J'ai horreur des doigts collants. »

Émilie se hâte d'engloutir le contenu du pot de confiture et court à la salle de bain.

Aussitôt revenue, les yeux brillants, elle s'installe à son bureau devant une nouvelle feuille de papier.

« Qu'est-ce qu'on fait, maintenant ? demande le crayon.

— Tu verras... C'est une surprise. »

Émilie prend un air supérieur. Elle commence à tracer la queue d'un animal, terminée par une touffe de poils. Puis elle passe au corps : les pattes, la tête, des raies partout...

« Et voilà ! s'écrie-t-elle.

— Mais tu es complètement folle ! glapit le crayon. C'est un tigre ! »

L'espace d'une seconde, il essaie de concentrer toutes ses forces pour empêcher le dessin de devenir vrai. Mais rien à faire, le tigre commence à prendre vie. Déjà il bondit hors de la feuille de papier, saute de la table et se précipite en grondant sur Émilie qui s'est réfugiée en catastrophe au bout de son lit. Épouvantée, la petite fille saisit un coussin et le coince entre les mâchoires du fauve. Heureusement pour elle, Émilie a dessiné l'une des pattes de l'animal plus courte que les autres, et le tigre, bancal, ne cesse de tomber.

« Prends ma gomme, vite ! hurle le crayon. Elle est magique aussi ! »

Émilie saisit le crayon, le retourne, et se hâte de gommer la gueule du tigre toujours empêtré dans le coussin.

« Ouf, ça marche ! » s'écrie-t-elle.

Elle s'active du mieux qu'elle peut. Bientôt, il ne reste plus du fauve menaçant qu'un petit bout de queue orné d'un toupet, qui s'agite tout seul dans les airs.

« Tu as bientôt fini ? se plaint le crayon. J'ai mal au cœur, la tête en l'air !

— Oui, ça y est, répond Émilie qui efface les derniers poils du tigre.

— Eh bien, nous l'avons échappé belle ! marmonne le crayon. Désormais, il faudra que tu me dises ce que tu as l'intention de dessiner avant de commencer. Je l'exige.

— D'accord, répond Émilie. De toute façon, c'est fini pour ce soir. J'ai du travail. »

Elle prend une feuille. Seulement, cette fois, elle laisse le crayon magique de côté et débouche son stylo. Puis elle écrit le titre de son histoire : « La vie de messire Robert de Franche-Comté, seigneur du Moyen Âge ». Le crayon la regarde de travers, vexé d'être si vite abandonné.

« Qu'est-ce que tu écris, là, avec ce stylo tout bête ? demande-t-il sur un ton indifférent.

— Une histoire sur le Moyen Âge.

— Et qu'est-ce que c'est, le Moyen Âge ?

— Une époque formidable, avec des châteaux forts, des seigneurs, des tournois...

— Des châteaux forts ? À quoi ça ressemble ?

— Oh ! tu m'énerves à la fin. Je vais t'en dessiner un, ça sera plus simple !

Joignant le geste à la parole, Émilie saisit le crayon et dessine à grands traits en faisant des commentaires. Le crayon, ravi, se laisse guider par la main de la petite fille.

« Voici les tours d'angle, dit-elle. Là, le donjon avec des meurtrières. Les créneaux, le pont-levis, les douves pleines d'eau... Ici, une bannière. Aux personnages, maintenant : les gardes, les guetteurs... »

Le crayon, médusé, ne dit mot.

Émilie place le château au sommet d'une colline dominant la campagne environnante. En dernier lieu, elle ajoute, tout près du pont-levis, deux cavaliers qui demandent à entrer.

« Voilà, dit-elle, c'est terminé. Qu'en penses-tu ? »

Le crayon, dégrisé, songe à ce qui va se passer.

« Euh... C'est très spécial, hasarde-t-il d'un ton inquiet.

— Spécial ? Sensationnel, tu veux dire !

— Peut-être, mais j'aimerais bien que tu te dépêches d'effacer tout ça avant que...

— Tu crois qu'il pourrait devenir *vrai,* lui aussi ? s'exclame la petite fille. Moi j'aimerais bien, remarque...

— Aïe, aïe, aïe..., gémit le crayon. C'est bien ce que je craignais... Ce truc-là ne me plaît pas du tout. Je t'en prie, efface-le ! »

Émilie est bien trop fascinée pour obéir : devant elle, le dessin commence à s'animer. Un trot de chevaux résonne soudain, les deux cavaliers se mettent à avancer en direction du pont-levis. On entend leurs voix. Le pont-levis s'abaisse lentement, livrant accès au château. Émilie est tout excitée.

« Viens, on y va ! crie-t-elle.

— Ah ! non, pas moi ! proteste le crayon.

— Tu es bien peureux, pour un crayon magique ! persifle Émilie.

— Oh ! je t'en supplie, dessinons plutôt des fleurs, des oiseaux...

— Mais oui, mais oui... »

Et, sans lui laisser le loisir de protester davantage, Émilie saisit le crayon et franchit la grande porte derrière les deux cavaliers. Elle a juste le temps de passer. Déjà, le pont-levis se referme...

3

Il règne une telle agitation à l'intérieur du château que personne ne remarque l'entrée d'Émilie. Des seigneurs en pourpoint de velours bordé d'hermine viennent visiblement d'arriver à cheval en compagnie de nobles dames. Des écuyers les aident à descendre, puis des palefreniers conduisent les montures aux écuries.

Des groupes de gens aux vêtements chamarrés se dirigent vers une cour d'où semblent venir des cris, des rires, des applaudissements, de la musique.

« Qu'est-ce qu'il se passe ? demande le crayon

terrifié par tout ce brouhaha. Je t'avais bien dit qu'on ne savait pas ce qu'on allait trouver !

— On dirait qu'il y a une fête, répond Émilie. Si j'avais su, j'aurais mis ma robe à fleurs avec des volants... »

La petite fille s'arrête pour admirer une châtelaine qui passe devant elle, accompagnée d'un chevalier. Elle porte une coiffe à bourrelet de soie, en forme de cœur, d'où s'échappe une longue écharpe blanche.

« Ce que c'est beau ! murmure Émilie. Je m'achèterais bien la même... »

Au bout d'un moment, le crayon, absorbé par le spectacle, oublie ses craintes. Il presse Émilie de questions, voulant tout savoir sur le Moyen Âge.

Émilie lui explique qu'ils se trouvent dans le château de messire Robert, un seigneur du XIVᵉ siècle célèbre pour les fêtes qu'il organise en toute occasion.

« Et puis tu sais, précise-t-elle, on prépare les réjouissances plusieurs semaines à l'avance ! Dans les cuisines du château, on fait rôtir des bœufs et des moutons entiers. Et l'on confectionne des tonnes de gâteaux... »

La fin des explications d'Émilie se perd dans le tintamarre, la musique et les remous de la foule. Jusque-là, personne ne s'est étonné de son jean, de sa chemise à carreaux et de ses chaussures de tennis.

« C'est à croire que je suis transparente ! » dit en riant la petite fille.

Le crayon, lui, tremble de frayeur dès que quelqu'un regarde dans leur direction. Mais la foule est trop occupée à s'amuser pour remarquer la tenue insolite d'Émilie. Et la petite fille, toute décontractée, passe une porte qui donne sur la cour centrale. Elle se retrouve au milieu de gens qui dansent, chantent, rient et se bousculent. Il y a là, pêle-mêle, des seigneurs en turban de soie, des dames vêtues de robes magnifiques, des paysannes en corselet et des manants en coiffe de laine.

Partout se dressent des éventaires offrant quantité de galettes au miel, aux amandes, aux noisettes, de pichets de boissons à la cannelle... Émilie est ravie. Elle se faufile dans la foule qui se presse autour des pyramides de sucreries, et se sert abondamment.

« Ça me rappelle le mariage de ma tante Marceline, dit-elle, la bouche pleine. J'avais eu une indigestion de choux à la crème ! »

Le crayon, scandalisé par une telle goinfrerie, lui crie de s'arrêter. Émilie ne l'écoute pas. Elle est captivée par les multiples spectacles qui se donnent aux quatre coins de la cour.

Ici, sur des tréteaux, des comédiens masqués racontent des histoires de diables et de sorcières. Plus loin, un ménestrel joue de la viole, une chèvre danse au son d'une flûte, un ours tape sur un tambourin, des singes sautillent un peu partout.

« Jamais je n'aurais cru le Moyen Âge si amusant ! dit le crayon médusé.

— C'est parce que tu n'as jamais entendu Mme Remuffat, répond Émilie d'un ton supérieur.

— Regarde ! continue le crayon. Qu'est-ce que c'est que cet énergumène ?

— Le bouffon, explique Émilie. Un personnage très important qui distrait le seigneur et peut se permettre de tout lui dire. »

Le fou est en train d'exécuter des pirouettes

sensationnelles. À chaque cabriole, les clochettes de son drôle de bonnet en forme de berlingot se mettent à tinter. Sa culotte bouffante, violet et rose, et ses bas bicolores lui donnent des airs de nain jaune. Émilie rit aux larmes.

« Qu'il est amusant ! » s'exclame-t-elle.

Lorsque le bouffon a réuni autour de lui une foule compacte, il s'arrête brusquement et crie d'une voix de fausset :

« Par ici, par ici, le tournoi va commencer ! »

Et il entraîne tout le monde vers une autre cour intérieure encore plus grande que la précédente. Émilie ne se sent plus de joie :

« Tu as entendu ? Un tournoi ! Je vais voir un vrai tournoi !

— Qu'est-ce que c'est ? » interroge le crayon.

Mais Émilie ne lui répond pas, trop occupée à se glisser le plus près possible des tribunes sur lesquelles flottent des bannières aux armes de la Franche-Comté. Leur entrée est gardée par deux chevaliers. Profitant des remous de la foule et d'une distraction des gardes, Émilie gravit quelques marches de bois et domine, éblouie, l'assemblée de seigneurs et de dames installés dans de grands fauteuils de velours au bord d'une immense piste ovale. Des yeux, elle cherche une place. Elle en aperçoit une au premier rang, près d'un seigneur à l'allure majestueuse, coiffé d'un turban incrusté de pierreries. Il s'agit de messire Robert, en personne !

Le crayon est terrorisé.

« Voyons, Émilie, sois raisonnable ! Tu ne vas tout de même pas...

— Et puis quoi, encore ! Tu ne t'imagines pas que je vais rater ça ! »

Émilie s'installe à côté de messire Robert, le cœur battant. Quelle aventure ! Le seigneur, absorbé dans la contemplation des préparatifs du tournoi, ne l'a pas vue.

« Qui sont les deux champions ? chuchote Émilie à son oreille.

— Voyons, ma mie, vous le savez bien ! »

répond le seigneur avec un haussement d'épaules, sans se retourner.

Émilie a bien du mal à retenir un fou rire. Le seigneur l'a prise pour dame Isabeau, sa femme ! C'est alors qu'un cri de surprise, tout près d'elle, la fait sursauter. Messire Robert tourne la tête et découvre, installée dans le fauteuil de son épouse, une étrange fille au visage d'enfant encadré de boucles blondes...

C'est dame Isabeau qui a crié et qui, debout devant l'intruse, reste maintenant bouche bée d'étonnement.

« Qui êtes-vous ? Et quelle est cette tenue ? » interroge messire Robert d'un air irrité.

L'inconnue ne paraît pas gênée le moins du monde.

« J'ai dessiné votre château, commence Émilie en regardant le seigneur droit dans les yeux, et... »

À ce moment, elle entend le crayon qui lui murmure :

« Ne dis pas une chose pareille, personne ne te croira ! Dis que tu viens d'un autre pays, n'importe lequel... »

Émilie fait un beau sourire, esquisse une courbette et réfléchit à toute allure à ce qu'elle pourrait bien raconter. Ça y est, elle a une idée...

« Euh... voilà, reprend-elle. Je viens d'un pays lointain, par-delà les mers. J'ai pris un avion. Euh, pardon, un navire. Nous avons fait naufrage. J'ai

été rejetée sur une grève. Ensuite j'ai marché, marché, jusqu'à ce que j'arrive à votre château... »

Messire Robert, les sourcils froncés, a l'air plutôt sceptique. Mais, pour l'heure, il est fort préoccupé par le tournoi et décide de couper court à cet incident. Car un cercle de curieux s'est formé autour d'Émilie et cela laisse présager une agitation sans fin. Déjà, des exclamations fusent de tout côté :

« Quelle curieuse damoiselle !

— Regardez sa chevelure !

— Comme ses vêtements sont étranges ! Elle n'a pas de robe ni de coiffe ! »

Émilie, elle, trouve les dames magnifiques : elles ont des robes brodées d'or, à larges manches, des draperies à la taille, des coiffes ornées de voiles.

« J'aurais vraiment dû mettre ma robe à volants ! » murmure-t-elle pour la seconde fois.

Messire Robert se lève, excédé.

« Finissons-en avec ces palabres, il est temps que le tournoi commence ! »

Il va demander au héraut d'armes de souffler dans sa trompe pour donner le signal, quand une petite voix aiguë se fait entendre.

« Père ! Père ! Attendez ! Le chevalier Népomucène n'est pas en état de combattre ! »

C'est Guillaume, le jeune fils de messire Robert, qui accourt tout essoufflé. Il a les joues rouges, de longs cheveux noirs et il porte une casaque de

velours écarlate sur une chemise verte bouffante.
Messire Robert le laisse arriver jusqu'à lui, l'air
sévère :

« Que me dites-vous là, mon fils ?

— Il est souffrant, il a une mauvaise fièvre ! »

Un murmure d'effroi accueille la nouvelle. Tous
ceux qui sont présents savent que l'enjeu du tournoi est capital : si messire Robert est vaincu, il
devra céder une partie de ses terres à messire
Anselme, son rival. Et celui-ci, absent de la fête, a
dépêché pour défendre ses couleurs le terrible
Courtot, connu pour manier la lance mieux que
personne. On sait aussi que le baron Anselme est
capable de tout...

« Peste soit de ce félon ! rugit messire Robert. Je jurerais qu'il s'est arrangé pour faire absorber à Népomucène quelque breuvage empoisonné !

— Qu'allez-vous faire, père ? implore Guillaume, les yeux brillants de larmes. Il faut absolument combattre, sinon Anselme va vous prendre vos terres !

— Seul Népomucène était suffisamment entraîné pour affronter Courtot », déclare le châtelain d'un ton qui n'admet pas la réplique.

Un silence pesant s'abat sur l'assemblée. Que va décider messire Robert pour sauver son honneur ?

« Moi, je peux me battre ! » clame soudain une voix claire.

Guillaume découvre alors à son tour, médusé, une fille à peine plus grande que lui, qu'il n'a jamais vue auparavant. Une fille qui prétend combattre ? Ça alors ! Quelle idée saugrenue ! Et pourtant... si cette fille était leur dernière chance ?

L'intervention d'Émilie a frappé l'assemblée de stupeur. Dame Isabeau, la première, retrouve la parole :

« Voyons, ma mie ! Vous n'y songez pas ! Quel âge avez-vous donc ?

— Euh... huit ans, répond Émilie un peu gênée. Mais je suis déjà montée à cheval. Et à l'école... enfin, je veux dire dans mon pays, j'ai appris la façon de mener un tournoi. Je sais exactement comment m'y prendre. Et croyez-moi, avec ma méthode le vainqueur n'est pas forcément le plus fort ! »

La petite fille a l'air si sûre d'elle que seigneurs et gentes dames en sont ébranlés. Guillaume supplie son père :

« Père, je suis certain qu'elle dit vrai. Laissez-la tenter notre chance !

— Il n'en est pas question, mon fils. C'est encore une enfant.

— Une enfant qui a dû braver bien des périls, pour arriver jusqu'à nous d'un pays si éloigné que nous n'en avons jamais ouï parler..., glisse dame Bolette d'un ton plein de sous-entendus. Savons-nous de quoi elle est capable ? »

Messire Robert semble frappé par la justesse de cette remarque. Il doit reconnaître que l'irruption de cette étrangère a quelque chose de mystérieux. Émilie n'est certainement pas une petite fille comme les autres. Pressé de donner son accord par les chevaliers qui l'entourent, il finit par céder. Et, quoique très inquiet, il ordonne à son fils de conduire l'inconnue vers les tentes où se trouvent les armures destinées aux champions...

4

« Je n'oublierai jamais ce que tu viens de faire pour mon père ! » lance Guillaume d'un ton emphatique avant de prendre la main d'Émilie et d'entraîner la petite fille vers les tentes.

Ce n'est guère le moment de céder à l'attendrissement, pense Émilie. Mais elle est contente que Guillaume soit son ami. Chemin faisant, le garçon lui pose question sur question. Il veut tout savoir : qui elle est, d'où elle vient, si dans son pays tout le monde est aussi grand (il a onze ans et la petite fille le dépasse d'une tête...). Émilie le laisse parler. Elle n'a aucune envie de s'embarquer à nouveau dans un récit périlleux et reste muette.

« Pour une fille, tu es vraiment étonnante ! »
s'exclame soudain Guillaume d'un ton convaincu.

Piquée au vif, Émilie prend la mouche.

« Non, mais dis donc ! Qu'est-ce que ça veut
dire, *pour une fille* ? »

Elle se calme aussitôt. Elle vient de penser
qu'au temps de Guillaume ce n'est pas encore une
idée très répandue.

« Excuse-moi, dit-elle, j'oubliais que tu vis au
Moyen Âge. Chez nous, les filles font les mêmes
choses que les garçons.

— Je ne vis pas au Moyen Âge, je vis en
Franche-Comté !

— Bien sûr, mais dans la Franche-Comté du
Moyen Âge !

— Pas du tout ! C'est la Franche-Comté de
mon père ! »

Guillaume ressemble à un coq en colère. La discussion risque de tourner au vinaigre et Émilie se hâte de faire la paix : le tournoi avant tout !

« Je t'expliquerai plus tard, dit-elle. Il faut qu'on se dépêche. »

Ils pénètrent sous la tente réservée au champion de messire Robert. Guillaume choisit une armure pour Émilie et veut l'aider à la revêtir. La petite fille refuse d'un ton ferme :

« Non, laisse-moi seule, je t'en prie. »

Impressionné, Guillaume s'en va. Dès qu'il a disparu, Émilie s'empare en toute hâte d'une nappe blanche qui recouvre un coffre, l'étale sur le sol et commence à dessiner avec son crayon magique une sorte de lance creuse, munie d'un ressort et d'un piston ; dans la cavité, elle met un gaz inoffensif, mais qui lui permettra d'endormir son adversaire.

« Espérons que cela marchera comme dans ma bande dessinée ! dit-elle au crayon.

— Je me demande pourquoi tu te donnes un mal pareil ! fait celui-ci d'un ton pincé. Il n'y en a

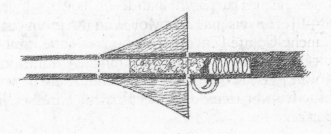

plus que pour ce Guillaume... Et moi, on ne me sort qu'en cas de besoin !

— Je n'ai pas le temps de discuter », riposte Émilie.

Sur ces entrefaites arrive un écuyer, qui apporte à Émilie une lance et un bouclier.

« Voici votre arme, dit-il.

— Merci, répond la petite fille, j'ai ce qu'il me faut. »

En effet, la lance qu'elle a dessinée est devenue vraie. L'écuyer y jette un coup d'œil, perplexe, et rebrousse chemin en remportant la sienne.

Émilie se saisit alors de l'armure.

« Tu tiens vraiment à t'enfermer là-dedans ? dit le crayon d'un ton méfiant.

— Bien sûr ! répond Émilie. Je trouve ça ravissant : on dirait une boîte de conserve ! »

Et, prenant les éléments de l'armure un par un, elle les énumère au crayon :

« Tu vois, ça, c'est le heaume. Et voici le manteau d'arme, les gantelets, les poulaines, les jambières...

— Je ne t'ai pas demandé un cours sur les armures ! s'exclame le crayon d'un ton moqueur.

— Oh ! tu m'énerves, à la fin ! » s'écrie Émilie ulcérée.

Elle glisse le crayon dans la poche arrière de son blue-jean et décide de ne plus lui adresser la parole.

À cet instant retentit le coup de trompe qui annonce le tournoi. Fébrile, Émilie passe son armure, bataillant avec les poulaines, puis avec le casque qui n'est pas à sa taille.

— Guillaume a vu un peu grand ! Quand elle est enfin équipée, elle entreprend de monter en selle. Armée de sa lance, ce n'est pas simple ! Elle doit s'y reprendre à trois fois. Mais elle finit par y arriver et entre en lice au même moment que l'affreux Courtot...

Face à face, les deux adversaires s'observent un instant à travers les fentes de leur heaume. Les chevaux piaffent d'impatience, la foule retient son

souffle. Soudain, le signal donné, c'est l'affronte-
ment. Les deux champions lancent leur destrier.
Pendant quelques secondes, dans un silence de
mort, on n'entend plus que le cliquetis des armes
et le martèlement des sabots. Puis, avec une vio-
lence terrible, les deux adversaires se frappent de
leur lance. Émilie chancelle mais tient bon. Elle
retourne à sa place et se prépare à une nouvelle
manche.

« Cette fois-ci, se dit-elle, pas de blague. Il faut
que j'arrive à lui faire respirer mon gaz. Je sens que
je ne vais pas tenir le coup longtemps, avec cette
armure mal fixée... »

La petite fille n'a pas réussi à ajuster parfaitement son vêtement de métal, qui fait à chaque soubresaut un bruit de casserole.

À nouveau, dans un nuage de poussière, les deux chevaliers se précipitent l'un vers l'autre. Émilie décide de ruser : elle fait semblant d'être déséquilibrée... et manque de tomber vraiment de sa monture. Un cri d'angoisse s'élève de la foule. Courtot, croyant son adversaire à sa merci, ralentit son allure. Rapide comme l'éclair, Émilie vise alors la fente de son heaume et projette une bouffée de gaz soporifique. À la stupéfaction générale, Courtot s'effondre lentement, bascule et roule à terre dans un fracas de métal...

Une ovation assourdissante s'élève : Émilie a triomphé ! L'héroïne, descendue de son destrier, est en piteux état : une de ses poulaines est restée

41

accrochée à un étrier, ses jambières se dévissent et son casque bascule en avant. Mais personne ne songe à lui reprocher le négligé de sa tenue ! De tout côté, des gens affluent pour la féliciter. Les dames lui lancent leur écharpe de soie. On l'embrasse, on l'étreint, on la porte en triomphe !

« Tu vois, murmure-t-elle à l'intention du crayon, on n'est pas si mal traité, ici ! »

Elle se souvient alors qu'elle l'a mis en quarantaine dans la poche de son pantalon. Pleine de remords pour sa brusquerie, elle se hâte de rega-

gner la tente pour y quitter son armure et libérer son ami. Mais, quand elle plonge la main dans sa poche, horreur ! le crayon magique n'est plus là...

« J'ai dû le perdre pendant le tournoi, pense-t-elle, il doit être sur la piste. Pourvu que je le retrouve ! »

Malheureusement, une foule de gens se presse maintenant à l'emplacement du tournoi. Émilie court se confier à Guillaume. Le garçon se trouve dans la cour centrale, près du donjon. Tout d'abord, il est stupéfait d'apprendre qu'Émilie sait écrire. Pour ne pas être en reste, il essaie de l'éblouir à son tour en lui montrant, dans un couffin de paille, des petits pois, des radis et des artichauts que son oncle Geoffroy a ramenés des croisades.

« Ce sont des légumes tout nouveaux ! » précise-t-il avec fierté.

Émilie feint l'étonnement. Elle ne peut lui gâcher sa joie en lui disant qu'elle sait tout, et depuis longtemps, des artichauts, des petits pois et des radis ! Mais, dès que Guillaume la laisse

parler, elle ramène la conversation sur le sujet qui lui tient au cœur. Guillaume consulte alors une sorte de cercle où sont gravés d'étranges signes.

« Écoute, dit-il. Il est dix heures. C'est l'heure du bal. Les gens vont quitter la lice et nous allons pouvoir chercher tranquillement ton bâtonnet. »

Émilie semble soudain frappée de stupeur.

« Dix heures ! s'exclame-t-elle. Ça fait cinq heures que je suis ici ? Catastrophe ! »

Pour la première fois depuis qu'elle a franchi le pont-levis, la petite fille vient de songer à ses parents. Ils ont dû s'apercevoir de sa disparition et doivent être très inquiets.

« Qu'est-ce que je vais bien pouvoir leur raconter ? se demande-t-elle à mi-voix. Pourvu qu'ils n'aient pas appelé les pompiers ou police-secours ! Oh ! là ! là !... Il faut que je rentre immédiatement. Je leur expliquerai l'histoire du crayon magique et je reviendrai le chercher plus tard. »

Guillaume regarde son amie d'un air inquiet.

« Que t'arrive-t-il, Émilie ?

— Il faut que je parte, Guillaume. Je ne peux pas t'expliquer. »

Le garçon est interloqué.

« Mais enfin, Émilie ! Tu ne peux pas partir sans avoir reçu la récompense de ta victoire ! Papa veut t'armer chevalier ! »

La petite fille ne se laisse pas fléchir. Elle n'a plus qu'une idée, retrouver sa chambre le plus vite

possible. Ni messire Robert ni dame Isabeau
n'osent insister, pensant que l'énigmatique visi-
teuse obéit sans doute à des raisons mystérieuses.
Toutefois, la châtelaine lui propose une escorte
pour l'accompagner à travers la campagne peu
sûre. Émilie refuse.

« Non merci, dit-elle, il faut que je parte seule.
Mais je reviendrai, c'est promis. »

Tandis que Guillaume éploré la regarde s'éloi-
gner du haut des remparts, Émilie franchit en courant le pont-levis. Lorsqu'elle arrive de l'autre côté
des douves, elle s'arrête, stupéfaite : au lieu de
pénétrer dans sa chambre, comme elle s'y atten-
dait, elle est en pleine campagne. Une campagne
du Moyen Âge, avec des chaumines, d'autres châteaux forts sur des collines éloignées et
d'immenses forêts...

« Ce n'est pas possible ! » murmure-t-elle, prise
d'une angoisse terrible.

Elle vient de comprendre que, sans son crayon

et sa gomme magique, elle est prisonnière de son dessin... et du Moyen Âge !

« Il faut que je retourne au château et que je retrouve mon crayon coûte que coûte ! » se dit-elle.

Elle rebrousse chemin et passe le pont-levis juste au moment où on commençait à le relever.

5

Ses amis, croyant qu'elle a changé d'avis, l'accueillent avec enthousiasme. Émilie aimerait bien chercher son crayon sans attendre, mais elle ne peut échapper à la fête donnée en son honneur dans la grande salle du château. Dame Isabeau lui demande d'ouvrir le bal avec Guillaume. Au début, Émilie s'emmêle un peu les pieds, car elle ne connaît pas les danses du Moyen Âge. Entre deux figures, elle glisse à son cavalier :

« Je suis revenue à cause de mon crayon. Il faut absolument que je le retrouve. »

Puis, pour changer un peu, elle décide

d'apprendre aux invités le rock et le disco. L'assemblée entière est grisée !

« Quelles contorsions insensées ! remarque dame Isabeau en se tordant de rire.

— Moi, ça me plaît ! dit Guillaume qui exécute un rock impeccable, en tirant un peu la langue.

— Ce sont des danses de fous ! » dit le maître de ballet avec aigreur.

Mais il se laisse convaincre à son tour et, malgré la lenteur du hautbois et de la vielle qui composent l'orchestre, il finit par se tortiller aussi fort que les autres.

La frénésie est telle que lorsque messire Robert veut armer Émilie chevalier il ne parvient pas à se faire entendre.

« Ne vous inquiétez pas, messire, lui crie Émilie, tout compte fait, je ne tiens pas à être sacrée chevalier. »

Messire Robert la complimente pour sa modestie et l'entraîne dans un rock endiablé.

À ce moment-là, un personnage sournois profite de la fête pour quitter le château sans être vu.

« Cette fille est une sorcière, grommelle-t-il entre ses dents. Sinon, elle n'aurait jamais pu battre Courtot au tournoi. Il faut que le baron Anselme se venge ! »

Le lendemain matin, Émilie est réveillée par une bonne odeur de miel et de lait chaud. En ouvrant les yeux, la petite fille a la surprise de se retrouver dans une très grande chambre, éclairée par une étroite et haute fenêtre. Dans une chemi-née monumentale pétille un bon feu.

C'est dame Rirette qui vient de tirer les épais rideaux de velours qui entourent le lit. Elle apporte à Émilie une collation faite de pain bis, de crème épaisse, de miel, de fruits et de galettes. Peu à peu, Émilie se souvient de son dessin, du crayon magique, du tournoi et du bal. Son cœur se serre :

« Comme maman doit être inquiète ! »

Elle regarde sa montre, mais les aiguilles sont arrêtées.

« Il est dix heures, ma mie ! annonce dame Rirette qui soulève le couvercle d'un coffre de noyer. Prenez votre collation, ensuite nous vous habillerons. »

Émilie fronce les sourcils.

« Je peux très bien me débrouiller toute seule, je ne suis plus un bébé ! Et je veux mettre mes habits ! » ajoute-t-elle en voyant dame Rirette tirer du coffre plusieurs jupons, des bas de tiretaine, des chaussures de satin brodées, une coiffe ornée de perles et de rubans, plusieurs casaques, une tunique et une jupe longue.

« Voyons, ma mie ! Nous allons passer des vête-ments qui conviennent à une damoiselle, non point ces effets de pauvresse ! »

Émilie hésite. Engoncée dans toutes ces étoffes, elle sera moins à l'aise pour partir à la recherche de son crayon. Mais le déguisement la tente !

Alors elle se laisse coiffer et pomponner par dame Rirette, qui bâtit avec ses boucles blondes une pyramide de tresses fort bien tournée. Toutefois, comme ces préparatifs n'en finissent pas, Émilie s'impatiente. Elle a autre chose à faire !

Par bonheur, Guillaume vient mettre un terme à son supplice ; il pénètre en coup de vent dans la chambre, essoufflé par une longue course.

« Émilie, crie-t-il, j'ai retrouvé ton objet rouge, le bâtonnet qui sert à écrire !

— Donne vite ! s'exclame Émilie surexcitée.

— Mais je ne l'ai pas ! Figure-toi que c'est Anastase, le singe du ménestrel Anicet, qui s'en est emparé. Je l'ai vu qui s'en amusait, ce matin, dans la grande salle. Quand j'ai voulu le lui prendre, il s'est enfui. Il est en haut de la tour, maintenant.

— Son maître ne peut pas l'attraper ?

— Il a bien essayé, car c'est mon ami et je lui ai expliqué que c'est très important pour toi. Mais l'animal est si têtu qu'il n'y a rien à faire !

— Viens, on y va ! » décrète Émilie.

Sous les yeux de dame Rirette scandalisée, elle ramasse à la hâte ses jupons encombrants et s'engouffre en trombe dans le couloir, Guillaume à sa suite. Ils escaladent quatre à quatre les escaliers qui mènent à la tour. Dès qu'ils mettent le pied sur la terrasse entourée de créneaux, ils aperçoivent Anastase, occupé à se servir du crayon comme d'un pipeau.

À cet instant, l'un des gardes chargés de surveiller les alentours du château se met à hurler :

« Nous sommes attaqués ! »

Et il sonne immédiatement l'alarme avec sa
trompe.

Les deux enfants se précipitent aux créneaux
pour regarder ce qui se passe. Au loin, on distingue une nuée de cavaliers portant bannières.

« C'est le baron Anselme ! murmure
Guillaume. Le félon ! Il veut venger Courtot !

— Le crayon, vite ! » s'exclame Émilie. Elle
vient de penser qu'il suffirait d'un coup de gomme
magique pour effacer en un clin d'œil tous les

ennemis ! Mais, quand elle se retourne, elle
constate, horrifiée, que le singe a disparu...

« Anastase ! Il est parti ! hurle-t-elle.

— De toute façon, dit Guillaume, ce n'est plus
le moment de s'occuper de ça. Viens vite, il faut
se préparer à la bataille !

— Justement, riposte Émilie en toute hâte,
mon crayon peut nous sauver ! »

Devant l'air ahuri du garçon, elle décide de le mettre au courant :

« Écoute, Guillaume, je ne t'ai pas tout dit. Mon crayon est magique. Avec lui, je peux vous débarrasser des ennemis en un instant. »

Et, pour mieux le convaincre, elle explique en deux mots à Guillaume comment elle a gagné le tournoi.

« Je te crois, dit le garçon, mais je ne peux plus rester avec toi. Il faut que je rejoigne mon père. Je te promets que je chercherai le bâtonnet de mon côté. Quant à toi, je vais te donner un arc et des flèches pour que tu puisses te défendre si les ennemis entrent dans le château. Suis-moi ! »

Dans l'escalier, ils sont obligés à plusieurs reprises de se plaquer contre le mur pour ne pas être renversés par les archers qui montent aux créneaux. Puis ils traversent les cuisines, où l'on s'active à faire fondre du plomb et bouillir de la poix pour les jeter sur les assaillants. Par les meurtrières, ils aperçoivent, dans la campagne, les fermiers affolés qui quittent leurs chaumières, poussant leur bétail devant eux pour venir se réfugier au château. La confusion est générale.

Dans la salle d'armes, les chevaliers sont en train de s'équiper. Guillaume se glisse au milieu d'eux et revient avec un arc et des flèches.

« Tiens, Émilie ! Et bonne chance ! »

Restée seule, Émilie décide de repartir immé-

diatement à la recherche du singe. Il n'y a pas une minute à perdre ! Mais ses vêtements compliqués la gênent.

« Après tout, se dit-elle, dame Rirette n'est plus là pour me surveiller. Je vais remonter dans ma chambre et reprendre mes habits. »

Elle traverse la cour intérieure, dans laquelle règne une pagaille monstre : moutons, chèvres et cochons courent dans tous les sens, les paysans montent aux créneaux, armés eux aussi d'arcs et de flèches, tandis que femmes et enfants se réfugient dans les écuries. Un nouveau son de trompe éclate, suivi de cris de fureur : Émilie comprend que messire Robert a donné l'ordre de contre-attaquer.

La petite fille grimpe à toute volée un escalier, enfile un couloir et pousse résolument la porte de ce qu'elle croit être sa chambre, puis s'arrête, interdite : elle est dans une pièce inconnue.

« J'ai dû me tromper de tour », se dit-elle.

Elle redescend l'escalier, manque de se faire renverser par des gardes, évite de justesse un chaudron de poix porté par des servantes et parvient enfin dans la cour.

Émilie jette un coup d'œil autour d'elle pour essayer de se repérer.

« Ce doit être par là ! » décide-t-elle.

Fébrilement, elle pénètre dans une autre tour,

se fraie un chemin parmi les couloirs encombrés, monte, redescend, traverse d'autres cours et débouche pour finir dans la grande salle, à bout de souffle.

« J'y arriverai, murmure-t-elle, j'y arriverai ! »

Elle emprunte un grand couloir, pensant enfin toucher au but. Au moment où elle pousse une porte, des hurlements sauvages la font d'abord reculer de frayeur. Puis elle se précipite à la fenêtre d'où vient le vacarme ; là, les mains crispées sur son arc, elle constate que les soldats ennemis viennent de pénétrer dans la cour. Les troupes de messire Robert refluent vers le donjon. C'est la

débandade... Dans la mêlée, elle distingue Guillaume luttant aux côtés de son père.

« C'est fini, se dit-elle, nous sommes perdus. Pourquoi ai-je eu la mauvaise idée de dessiner ce château ? Et mon crayon, que je n'ai pas revu... »

Elle regarde autour d'elle. Que faire ? Elle n'est toujours pas dans sa chambre, mais maintenant, à quoi bon chercher ses habits ? Soudain, une idée lui traverse l'esprit. Il y a peut-être dans le château un passage souterrain qui mène dans la campagne, comme elle l'a entendu raconter par Mme Remuffat ? Si elle réussissait à s'enfuir, elle pourrait alerter les amis de messire Robert dans les châteaux voisins !

Alors, à tout hasard, elle commence à tâter les murs de la pièce à la recherche d'un passage secret. Elle soulève les tentures, ouvre un coffre... et pousse un cri de surprise. Là, terré parmi un monceau de victuailles et de vêtements, se trouve... le bouffon de messire Robert !

« Que faites-vous là ? s'exclame Émilie.

— Je me cache, ma mie ! Et vous feriez bien d'en faire autant, si vous ne voulez pas être massacrée !

— Mais on a besoin de nous !

— Je ne sais pas guerroyer. »

C'est un tout petit bonhomme. Il porte toujours le chapeau étoilé et les culottes bouffantes qui avaient ravi Émilie la veille.

« Je compte rester ici aussi longtemps qu'il le faudra, explique-t-il. Je peux soutenir un siège, comme vous le voyez. Quand la bataille sera finie, je tâcherai de m'éclipser. Mais pour l'instant, mieux vaut ne pas donner signe de vie ! »

Émilie réfléchit.

« Donnez-moi une de vos tenues de rechange, dit-elle. Ce sera plus commode pour moi que ces jupons.

— Tout ce que vous voudrez, pourvu que vous disparaissiez le plus vite possible ! »

Émilie rafle ce qu'il lui faut, laisse retomber le couvercle du coffre sur le nez du bouffon et se change en hâte : on entend déjà dans le couloir le cliquetis des armes, des bruits de poursuite et des

cris. En un tournemain, elle est revêtue des bas
bicolores, des poulaines et des culottes bouffantes.
Au moment de coiffer le chapeau-berlingot, elle a
un moment d'hésitation, puis relève ses cheveux
et se l'enfonce résolument sur la tête.

« À nous deux, messire Anselme ! » lance-t-elle
avec un clin d'œil malicieux.

6

Sans être vue, Émilie a pu se glisser jusqu'à une extrémité de la grande salle. Cachée derrière une tenture, elle observe, épouvantée, ce qui s'y passe.

Le terrible baron Anselme a eu le dessus. Il a fait réunir devant lui ses prisonniers de marque et les toise avec un sourire qui ne présage rien de bon. Au premier rang, les poignets liés, Guillaume se tient à genoux... Mais Émilie a beau scruter tous les visages, elle n'aperçoit ni messire Robert ni dame Isabeau.

Anselme, d'une voix tonitruante, expose son plan à Guillaume : le jeune garçon sera gardé en otage tant que les vassaux de messire Robert ne se

seront pas tous soumis, faute de quoi il sera mis à mort.

« Je suis persuadé que ces manants ne voudront pas avoir ta mort sur la conscience, dit-il avec un ricanement cruel. Et lorsqu'ils auront signé leur soumission, eh bien... disons que tu pourras tomber du haut d'une tour, par accident... Ou te noyer dans un étang au cours d'une chasse... »

Émilie écoute la sentence, glacée d'horreur. Guillaume se redresse, les yeux pleins de rage et de mépris.

« Vous n'êtes qu'un brigand sans honneur, baron Anselme. Un jour, vous serez châtié ! »

Le baron éclate d'un gros rire menaçant :

« Ah, ah, ah ! Ce damoiseau se permet de me faire la leçon ! Sais-tu qu'on ne parle pas ainsi devant moi ? Gardes ! Emmenez-le et mettez-le au cachot ! »

C'est plus qu'Émilie ne peut en supporter. Il faut que Guillaume sache qu'il peut compter sur elle. Jouant le tout pour le tout, la petite fille bondit dans la salle et s'écrie d'une voix de fausset :

« Holà, messire Anselme ! Allez-vous vous abaisser à écraser ce moustique ? Vous, le lion de Franche-Comté ! Il faut vous mettre sous la dent des ennemis plus dignes de vous que ce blanc-bec ! »

Le baron, médusé, contemple le personnage surprenant qui vient de surgir de derrière une tenture.

« D'où sors-tu, toi ? Comment se fait-il que mes gardes ne t'aient point enchaîné ? »

Le bouffon fait une cabriole et avance vers le baron en marchant sur les mains, la tête en bas.

« Hé, hé ! Votre Grâce... (à ces mots, Anselme se gonfle de plaisir), c'est que j'ai plus d'un tour dans mon sac ! Peut-être étais-je tombé au fond d'une marmite, dans la cuisine ? ... »

Le baron éclate de rire à nouveau. Ce bouffon lui plaît beaucoup. À tel point qu'il oublie de houspiller les gardes qui, surpris comme toute l'assemblée, ne songent plus à conduire Guillaume au cachot.

« Je viens me mettre à votre service, Votre Grâce, continue le bouffon de sa voix éraillée.

Naturellement, je ne fais plus partie de la maison de messire Robert. Je préfère votre compagnie à celle des rats qui peuplent les cachots ! »

Le bouffon exécute une savante pirouette et se retrouve sous le nez de messire Anselme, qui continue à rire grassement.

« Que voilà une belle prise ! Le bouffon du château ! Ah, ah, ah !

— Vous pouvez être fier, reprend le bouffon en donnant à Anselme une pichenette espiègle sous

le menton. Sans moi, messire Robert ne pouvait ni penser ni rire. J'étais son cerveau et son esprit...

— Ton impertinence me plaît ! s'écrie le baron. Je te garde avec moi ! Mais tâche de nous distraire, sinon il t'en cuira ! Dès ce soir, nous organiserons une fête pour célébrer notre victoire. En attendant, qu'on emmène le prisonnier au cachot. La vue de sa triste figure gâche mon plaisir ! »

Vif comme l'éclair, le bouffon se rend, en trois sauts, auprès de Guillaume et se met à le regarder par en dessous en faisant les pires grimaces.

« Vous dites vrai, messire. Il a l'air bien triste ! Laissez-moi l'examiner de plus près... »

Émilie fixe Guillaume dans les yeux, faisant mine de regarder ses cheveux un par un. Le garçon, stupéfait, reconnaît son amie. Il retient de justesse une exclamation de surprise. Émilie lui fait un clin d'œil et, pour ne pas attirer l'attention d'Anselme, reprend ses pirouettes et ses culbutes autour du jeune garçon.

Profitant du moment où les gardes relèvent Guillaume pour l'emmener, Émilie le bouscule et lui murmure à l'oreille :

« Aie confiance, je te libérerai... »

Guillaume acquiesce d'un signe de tête imperceptible et disparaît entre les gardes dans le couloir qui mène aux cachots.

Son premier but atteint, Émilie prend le temps de regarder autour d'elle.

Au fond de la salle, le baron Anselme fait regrouper les ménestrels et les comédiens, qu'il pense utiliser pour distraire ses soirées. Le cœur battant à tout rompre, Émilie découvre, blotti dans un coin, le pauvre Anicet qui semble accablé de chagrin. Perché sur son épaule, Anastase s'amuse comme un petit fou... avec le crayon magique !

Le crayon, qui n'a pas perdu une bribe de toute la scène, a reconnu Émilie sous le costume du bouffon. Il ne se sent plus de joie. La brouille d'avant le tournoi est oubliée depuis longtemps ! Lorsqu'il se rend compte que la petite fille l'a remarqué, il murmure :

« Enfin ! Je suis sauvé. Émilie va venir me chercher. Je commence à en avoir assez de ce maudit singe qui passe son temps à m'envoyer dans les airs. Vivement qu'on quitte ce satané Moyen Âge ! »

Émilie, de son côté, cherche la meilleure façon de récupérer son crayon sans éveiller les soupçons d'Anselme.

« Eh bien, messire ! s'écrie-t-elle soudain, je vois que vous avez hérité d'une troupe de baladins au complet ! Quand commencerons-nous à fêter le vainqueur ?

— Bien parlé, bouffon ! Nous allons organiser cela. As-tu déjà une idée ?

— Vous vous moquez, messire ! J'ai cent idées,

sous mon bonnet ! Je me propose de jouer une saynète. Il me faut... ce ménestrel, là-bas, avec son singe. Et surtout, le bâtonnet rouge que tient l'animal.

— Pouquoi cela ?

— Vous verrez, vous verrez..., susurre Émilie d'un ton plein de mystère. C'est d'une importance *extrême...* »

Le baron, piqué par la curiosité, ordonne à ses gardes d'amener Anicet et son singe.

Émilie bâtit son plan à la hâte :

« Dès que j'aurai le crayon magique, se dit-elle, je le cacherai dans les plis de ma casaque. La nuit venue, je dessinerai une armée formidable sur les murs de la grande salle. Demain matin, quand le baron Anselme s'éveillera, il sera prisonnier. Et je l'effacerai carrément avec la gomme. »

Malheureusement, les événements sont en train de prendre une autre tournure : au moment où les gardes s'apprêtent à saisir le singe, celui-ci bondit en l'air et va s'accrocher tout en haut des tentures.

« Rattrapez-le ! » hurle Émilie.

Le baron s'étonne :

« Ah ! çà, bouffon ! Cet animal capricieux semble te tenir bien au cœur...

— Parce que je veux vous régaler l'esprit de ma saynète, Votre Grâce ! Vite, faites-le chercher ! »

Messire Anselme, de plus en plus amusé, donne des ordres. Aussitôt, les archers et les chevaliers de sa suite se lancent à la poursuite d'Anastase. Mais le singe est agile et leur échappe sans cesse. Il se juche tantôt sur les torchères, tantôt sur le manteau de la cheminée. Anicet a beau essayer de le rappeler d'une voix douce, rien n'y fait. Pour finir, Anastase quitte la pièce en poussant de petits cris espiègles.

« Ne le laissez pas s'enfuir ! » s'écrie Émilie éperdue.

Cette fois, le baron Anselme a l'air contrarié.

« C'en est assez, bouffon ! Puisque tu as tant d'idées, remplace ce stupide animal par une chèvre. »

Tête basse, Émilie doit rejoindre le groupe des bateleurs.

« On peut toujours mimer la chèvre de M. Seguin..., se dit-elle, effondrée. Puisque Alphonse Daudet n'est pas né, je suis sûre que le baron Anselme ne connaîtra pas cette histoire. »

Profitant de l'absence du baron, parti donner des ordres à ses soldats, Émilie attire Anicet dans un coin et lui murmure :

« Je suis Émilie, je sais que Guillaume t'a parlé de moi. Il faut à tout prix que je retrouve mon bâtonnet rouge. C'est un crayon magique. Il y va de la vie de Guillaume !

— Hélas ! soupire Anicet. Je donnerais cher pour t'aider, mais Anastase a un caractère épouvantable. Il a compris que l'on s'intéresse à ce fameux bâtonnet et ne veut pas le lâcher. Dès que je fais mine de le saisir, il s'enfuit... Pour le reste, je me mets à ton service..., ajoute-t-il d'un ton las.

— Entendu, souffle Émilie. Je te ferai signe quand le moment sera venu. »

La petite fille se dit que si – par miracle – elle réussit à remettre la main sur le crayon magique, Anicet pourra la guider à travers le château pour aller délivrer Guillaume.

Et, remettant l'exécution de ses projets à plus tard, elle fait répéter à la troupe de comédiens la petite chèvre de M. Seguin...

Lorsque le moment de la fête arrive, la saynète est fin prête. Messire Anselme et ses chevaliers sont installés autour d'une grande table disposée en U le long des murs de la grande salle, face à la cheminée. Il y a une telle abondance de torches que l'on y voit comme en plein jour. Tandis que les serviteurs commencent à apporter des cuisines de grands plats couverts de gibiers, de volailles, de porcs farcis et de bœufs rôtis à la broche, messire Anselme lance d'une voix forte :

« Messeigneurs, commençons ce repas ! Bouffon, nous comptons sur toi pour nous amuser et nous faciliter la digestion ! »

Et il ponctue son annonce d'un rire épais. Émilie se hâte de présenter son spectacle, espérant profiter ensuite du numéro des jongleurs et des acrobates pour s'éclipser en compagnie d'Anicet

à la recherche d'Anastase. Mais, au moment où elle s'apprête à se glisser hors de la pièce, le baron la rappelle :

« Hé, bouffon ! Regarde qui nous arrive ! N'est-ce pas l'animal que tu voulais attraper tout à l'heure ? Il vient de se poser sur mes genoux ! »

Émilie et Anicet se retournent vivement. Entre les mains du baron, c'est bien Anastase qui s'agite et pousse de petits cris. Malheureusement, il ne tient plus dans ses pattes le crayon d'Émilie...

7

Émilie a maintenant perdu l'espoir de retrouver son crayon magique. Dans la grande salle obscure où elle doit passer la nuit allongée sur le sol, en compagnie des autres baladins, la petite fille ne peut fermer l'œil. Des pensées bien sombres lui trottent dans la tête. Cette fois, elle n'a plus aucune chance de revoir ses parents, ni de libérer Guillaume... Près d'Émilie, Anicet a fini par s'endormir, Anastase blotti contre lui.

Au petit jour, les chevaliers du baron Anselme font irruption dans la pièce. Ils doivent partir pour la chasse et en hâte donnent des ordres à leurs écuyers. Certains s'impatientent :

« Que fait donc messire Anselme ? bougonnent-ils. Les sangliers ne nous attendront pas. Et les chiens vont finir par se dévorer entre eux, dans la cour ! »

Sur ces entrefaites le baron apparaît, en proie visiblement à un violent courroux. Sans même saluer ses hommes, il marche droit sur Anicet, le menaçant d'un doigt vengeur :

« Stupide ménestrel ! hurle-t-il. Chien malappris ! »

Arrivé près du garçon, il l'empoigne par le collet et le soulève de terre.

« Ton singe a souillé mes appartements ! Il a fait des cabrioles sur mon lit, il a déchiré mes brocarts !

— Mais..., balbutie Anicet, Anastase ne m'a pas quitté de la nuit !

— De la nuit, peut-être ! Mais hier, quand il a disparu ? J'ai la preuve que c'est lui le coupable : j'ai trouvé dans ma chambre son jouet ridicule, cette espèce de bâtonnet rouge qu'il manipulait sans cesse ! »

Émilie, toute joyeuse, se remet à espérer. Elle se lance aussitôt dans une série de pirouettes et atterrit devant le baron.

« Eh bien, messire ! Cela prouve simplement que cet animal vous aime plus que son maître ! »

Surpris, Anselme lâche Anicet et demande, l'air amusé :

« Par ma foi, bouffon, que me chantes-tu là ?

— En faisant de votre appartement son domaine, il a voulu vous prouver son affection ! »

Anselme, qui ne soupçonne pas la ruse, laisse éclater une hilarité bruyante. Émilie se hâte d'exploiter sa victoire :

« Puis-je aller chercher le bâtonnet, pour vous présenter ce soir la saynète à laquelle je pensais ?

— Tu as l'air d'être aussi têtu que le singe ! grommelle le baron qui semble maintenant d'une humeur délicieuse. File ! Et ne t'avise pas de me décevoir ! »

Certaine, cette fois, de toucher au but, Émilie part en trombe. Mais, au moment où elle va franchir la porte, voilà qu'apparaît un écuyer du baron, tenant par le col... le bouffon de messire Robert.

« Qu'est-ce là ? rugit Anselme.

— Le bouffon de messire Robert, Votre Seigneurie. Je l'ai découvert dans le coffre où il se cachait depuis le début de notre attaque. J'ai été attiré par la puanteur qui se dégageait du meuble. Le drôle avait entreposé des victuailles de crainte de mourir de faim... »

Le baron, l'air terrible, regarde tour à tour Émilie et le nouveau bouffon.

« Qui ose se moquer de moi ? »

L'écuyer désigne Émilie :

« Ce bouffon-là est un imposteur, messire. Il s'agit d'une fille ! »

Messire Anselme se dirige vers Émilie et lui arrache son chapeau à clochettes. Un « oh ! » de surprise résonne dans la salle comme les longs cheveux blonds de la petite fille se répandent sur ses épaules.

« Une fille ! tonne Anselme. Voilà donc la sorcière dont on m'a parlé ! Celle qui a osé vaincre Courtot au tournoi ! Ah ! tu t'es bien jouée de moi, diablesse, mais fini de rire ! Qu'on la brûle sur-le-champ ! Emmenez-la dans la cour et qu'on prépare le bûcher ! »

Ce revirement de situation provoque un beau

remue-ménage. À Anicet qui se préparait à sortir avec elle un instant plus tôt, Émilie murmure :

« Le crayon ! Vite ! »

Discrètement, tandis que son amie disparaît entre des gardes, le ménestrel s'engage dans l'escalier qui mène aux appartements de messire Anselme, l'ancienne chambre de messire Robert. À mi-hauteur, il se trouve face à deux archers qui descendaient. Jouant de leur surprise, Anicet fonce tête baissée et se glisse entre eux.

« Alerte ! hurlent les archers. Alerte ! »

Anicet les sent sur ses talons. Il a beau gravir les marches quatre à quatre, son avance n'est pas grande. Soudain, deux autres gardes apparaissent en haut de l'escalier. Traqué, le garçon se plaque le dos au mur. Et, alors qu'il se croit perdu, il sent bouger sous ses doigts une aspérité de la paroi. En un clin d'œil, sous les yeux des soldats éberlués, le ménestrel disparaît, happé dans un trou noir...

« À l'aide ! hurlent les gardes. Le château est ensorcelé ! »

Anicet a compris : il vient de découvrir fortuitement l'entrée du passage secret dont Guillaume lui a si souvent parlé. Il sait qu'il conduit par un escalier dérobé dans la chambre du seigneur.

« Quelle chance ! murmure-t-il. Quelle chance ! Le Ciel est avec moi ! »

À tâtons, il longe le mur. Quelques pas, et son pied heurte une marche. Il reconnaît l'escalier en

colimaçon décrit par Guillaume. Arrivé en haut,
Anicet se trouve devant une porte de fer. Fébrilement, il explore, pouce par pouce, les aspérités
métalliques. Au bout d'une minute qui lui paraît
une éternité, il entend enfin un déclic et débouche
dans la chambre du baron. Là, sur le sol, le crayon
semble l'attendre...

Anicet se rue sur lui comme un fou, quand une
petite voix l'arrête dans son élan :

« Eh bien, disait-on, ce n'est pas trop tôt ! Où
est Émilie ? »

D'abord pétrifié de surprise, le ménestrel
reprend ses esprits. Émilie lui a bien dit que son
crayon était magique...

« Vite, dit-il. Elle est en danger ! Elle a besoin de vous ! »

Et, le crayon à la main, il se précipite vers la fenêtre d'où l'on domine la cour. Là, à quelques mètres au-dessous de lui, il découvre un spectacle qui lui serre la gorge.

Émilie est enchaînée par la taille à un anneau du mur. Elle contemple, terrorisée, les gardes en train d'entasser les fagots destinés à son bûcher.

« Anicet a échoué, se dit-elle, je suis perdue... »

Mais au moment où s'approche le garde chargé de lui lier les mains, stupéfaction ! elle voit flotter devant elle, à hauteur de ses yeux, le crayon magique !

Anicet, en un clin d'œil, a arraché une corde-

lière retenant des tentures et y a attaché le crayon pour le faire descendre jusqu'à Émilie...

Rapide comme l'éclair, la petite fille se saisit du crayon et se met à gommer avec frénésie le garde qui arrive près d'elle, puis les chaînes qui la retiennent. Lorsque des chevaliers découvrent, interdits, ce qui se passe, Émilie a déjà effacé une bonne dizaine d'archers ! Un vent de terreur passe dans la cour :

« Sorcellerie ! Maléfice ! » entend-on de tous côtés.

Le baron Anselme, prévenu, réprimande vertement ses troupes et envoie contre Émilie vingt soldats. La petite fille a beau faire des prouesses, elle se rend compte qu'elle ne pourra jamais gommer tous ses attaquants en même temps. Alors elle prend le parti de s'enfuir à toutes jambes pour aller dessiner une armée...

8

Pointant devant elle sa gomme magique, Émilie efface les obstacles qui lui barrent le chemin. Comme elle vient encore de gommer deux archers dans l'escalier qui conduit à la chambre de messire Robert, elle s'écrie, émerveillée :

« Ce sont de vraies mauviettes, n'est-ce pas, crayon ?

— Hmfff ! souffle le crayon. On daigne enfin m'adresser la parole ? Et on ne me dit même pas merci !

— Merci, crayon ! Mais on n'est pas au bout de nos peines, tu sais, j'ai encore besoin de toi !

Pourvu qu'Anicet soit toujours dans la chambre du baron Anselme ! »

D'un bond, Émilie franchit les cinq dernières marches et pousse la porte de la pièce. Anicet est bien là, pétrifié de saisissement.

« Eh bien ! Ne reste pas à me regarder comme une bête curieuse. Barricade plutôt cette porte, que je puisse travailler tranquille ! »

Anicet pousse un gros verrou et entreprend de tirer devant la porte un lourd coffre de noyer. Sans perdre un instant, Émilie se met en devoir de crayonner sur les murs une véritable armée de gardes et d'archers. Leurs costumes sont approximatifs, mais ils ont l'air féroce ! Dès que la petite fille a terminé un soldat, celui-ci sort du mur et va se ranger à l'extrémité de la chambre. Anicet contemple, les yeux écarquillés, ce spectacle fascinant.

Lorsque Émilie juge son armée suffisante, elle ordonne :

« Allez, vaillants soldats ! Combattez pour nous ! »

Après s'être inclinés devant leur créatrice, les gardes libèrent la porte et s'engagent dans le couloir, l'un derrière l'autre, à l'assaut des troupes de messire Anselme.

Le dernier sorti, Anicet referme promptement, et Émilie, inlassable, se remet à dessiner sur le mur.

« Qu'est-ce que tu fais, maintenant ? demande le ménestrel qui commence à s'habituer aux agissements de son amie.

— Une machine qui va nous permettre de délivrer Guillaume ! » répond Émilie, le feu aux joues.

Tandis qu'elle trace une forme incompréhensible pour lui, Anicet se risque à poser la question qui lui brûle les lèvres depuis que la petite fille est revenue du bûcher :

« Dis, Émilie, est-ce que tu es vraiment une sorcière ?

— Ça, Anicet, c'est un secret... Je ne peux pas tout t'expliquer, mais fais-moi confiance : quoi qu'il arrive, Guillaume et toi resterez mes amis. »

Le ménestrel garde le silence. Émilie continue à dessiner avec rage. Sur le mur apparaît maintenant une sorte de machine qui tient à la fois du bulldozer et de la voiture de tourisme. C'est un engin imaginé, bien sûr, mais d'après les calculs d'Émilie il doit marcher. La machine ne tarde pas à prendre du relief. Au bout de quelques instants, elle occupe presque toute la pièce.

Émilie saute alors dans la cabine de pilotage et met le moteur en route. Il fait un bruit assourdissant...

« Monte à côté de moi ! » crie-t-elle à Anicet.

Prenant bien soin de fixer le crayon magique dans les plis de sa culotte bouffante, Émilie lance la machine à toute allure contre la porte, qui ne résiste pas. Puis elle s'attaque aux escaliers, que la machine avale d'une traite grâce à ses chenilles.

« Tu as souvent conduit un engin pareil ? hurle Anicet ahuri.

— Jamais ! » répond Émilie, l'air enchanté.

Ils traversent plusieurs pièces et constatent que la bataille fait rage entre les archers d'Émilie et la suite du baron Anselme. Les soldats, épouvantés par le grondement de la machine infernale, ont à peine le temps de se plaquer contre les murs pour ne pas être écrasés.

Arrivée à une bifurcation, Émilie demande à Anicet :

« Et maintenant, comment va-t-on aux cachots ?

— Tu ne pourras jamais passer ! s'exclame Anicet. Les boyaux qui y conduisent sont bien trop étroits !

— Eh bien, nous enfoncerons les murailles ! » décrète Émilie résolue.

Elle appuie au maximum sur l'accélérateur et fonce contre un épais mur de pierre qu'elle troue comme un vulgaire panneau de papier. Anicet se bouche les yeux, tandis que le crayon, toujours blotti dans les plis de la culotte bouffante, encourage sa compagne à grands cris :

« Vas-y, Émilie ! Oui ! Formidable ! »

À ce rythme, ils ne tardent pas à arriver au cachot de Guillaume. Le jeune garçon, allongé sur

la paille, est épouvanté par le vacarme de la machine.

Émilie saute à bas de son bulldozer et efface en toute hâte les chaînes de son ami. Puis, coupant court aux questions de Guillaume, elle le pousse vers la cabine de pilotage et repart en trombe.

— « Attention, annonce-t-elle, je vais vous conduire hors du château. C'est là que nous nous séparerons.

— Nous séparer ? Jamais de la vie ! s'exclament les deux garçons en chœur.

— Si, il le faut. Une fois dans la campagne, vous parviendrez certainement à trouver refuge chez un autre seigneur. Moi, je reviendrai au château pour mettre un peu d'ordre dans toute cette pagaille.

— Mais comment feras-tu pour nous retrouver, après ? interroge timidement Anicet.

— Avec le crayon magique, aucun problème ! » assure Émilie.

La machine, lancée à fond de train, traverse la

cour. Les combats font toujours rage, mais les archers d'Émilie ont l'avantage. Arrivée près de la poterne, la petite fille s'arrête. Guillaume et Anicet descendent, passent le pont-levis en courant et disparaissent...

Alors Émilie fait marche arrière et, crayon en main, se lance dans la mêlée. Armée de la gomme magique, elle efface un à un les chevaliers félons, les soldats de messire Anselme et le baron lui-même.

« Traître ! lui jette-t-elle avec emphase, ta dernière heure est venue ! Retourne d'où tu viens ! »

Avant que le baron ait pu répondre quoi que ce soit, il a disparu. Quand Émilie a fini de gommer tous les personnages, elle s'attaque au château lui-même ; elle se rend compte avec soulagement qu'en effaçant la base des constructions tout s'écroule. Il ne lui reste plus, ensuite, qu'à gommer les débris. C'est une tâche considérable, mais la petite fille ne sent pas la fatigue. Enfin, au bout d'un moment, tout est net. Seul est encore debout le bulldozer. Alors Émilie l'efface à son tour et se retrouve, seule avec son crayon, au milieu de sa chambre...

À ses pieds, elle voit le papier sur lequel elle avait dessiné le château fort de ses exploits... Il n'en reste pas une pierre. Mais on peut encore distinguer, près de l'emplacement de la poterne, les

deux cavaliers qui demandaient à entrer lorsque
le dessin était devenu vrai.

Émilie pousse une exclamation :

« Regarde ! dit-elle au crayon. Ce sont
Guillaume et Anicet !

— Je vois ! Qu'est-ce qu'on en fait ? On les
efface ?

— Surtout pas ! répond Émilie. Je vais ranger
ce papier, comme ça je les retrouverai quand je
voudrai. C'est... »

Elle s'interrompt, car la porte s'ouvre : ses parents viennent l'appeler pour dîner.

« Tu travailles trop, ma chérie, dit son père.

— Tu dois être fatiguée, dit sa mère.

— Il y a des frites et du poulet ! » crie son frère.

Émilie se hâte de plier en quatre la feuille sur laquelle se trouvent Guillaume et Anicet, et la fourre au fond de son tiroir secret avant de rejoindre sa famille à table.

« Ils ne se sont rendu compte de rien, souffle-t-elle au crayon... Et demain, quel exposé je vais faire ! Jojo Grataloup n'en reviendra pas ! »